ANA GALÁN - GUSTAVO MAZALI

EL CLUB ARCOÍRIS

Iris y el misterio de la gata perdida

D1297424

DESTINO

A mi sobrina, la verdadera Marina
Ana

Para mis hijos y afectos que llenan mi vida de «colores»
Gustavo

DESTINO INFANTIL Y JUVENIL, 2014
infoinfantilyjuvenil@planeta.es
www.planetadelibrosinfantilyjuvenil.com
www.planetadelibros.com
Editado por Editorial Planeta, S. A.

© del texto: Ana Galán, 2014
© de las ilustraciones de cubierta e interior: Gustavo Mazali, 2014
© Editorial Planeta S. A., 2014
Avda. Diagonal, 662-664, 08034 Barcelona
Maquetación: Hermes Mazali
Primera edición: enero de 2014
Tercera impresión: octubre de 2014
ISBN: 978-84-08-12308-8
Depósito legal: B. 25.919-2013
Impreso por Cachiman Grafic, S. L.
Impreso en España – Printed in Spain

El papel utilizado para la impresión de este libro es cien por cien libre de cloro
y está calificado como papel ecológico.

No se permite la reproducción total o parcial de este libro, ni su incorporación a un sistema informático, ni su transmisión en cualquier
forma o por cualquier medio, sin el permiso previo y por escrito del editor. La infracción de los derechos mencionados puede ser
constitutiva de delito contra la propiedad intelectual (Art. 270 y ss del Código Penal). Diríjase a CEDRO si necesita fotocopiar o escanear
algún fragmento de esta obra.

Capítulo 1

Un Mundo diferente

La Reina de las Ninfas y el Rey de los Gnomos nos llamaron a una reunión al jardín de los nenúfares. **La Reina** llevaba una capa **largaaaaaaa** de hojas preciosa y un vestido de flores de muchos **colores**. **El Rey de los Gnomos** es muy mayor y tiene la cara arrugada y la barriga gorda.

Miré a mi alrededor. En un lado del jardín estaban los Gnomos.

Los Gnomos:

Tienen cara de mal humor. Se visten con **colores** aburridos. Tienen las orejas en punta. Usan unos **gorros rojos** picudos. No sé por qué usan **esos gorros**, pues siempre se **les** **enganchan en** **las ramas**.

Ellos se dedican a las cosas más aburridas del reino. Hacen túneles y arreglan los árboles y las setas. Además hablan **un poco raro** y usan expresiones con nombres curiosos de setas. Creo que están un poco **obsesionados con las setas**.

En el jardín también estaban las **hadas**. Todas las **hadas**:

Tienen alas y pueden volar.

Siempre usan vestidos o faldas. No sé por qué no pueden usar pantalones.

Arrojan polvitos mágicos. A mí me hacen estornudar. ¡Achuusss!

Las **hadas** se creen muy importantes porque saben volar. Pero a mí no me gustaría ser un hada. Por muchas alas que tengan.

Capítulo 2

El Club Arcoíris

Yo soy Iris, la ninfa del **arcoíris** y estaba con mis amigas, las ninfas de la naturaleza. Nosotras tenemos el trabajo **más importante** que es **cuidar la naturaleza**. Nos encargamos del agua, las flores, el sol y todo lo que hace que el mundo sea un lugar mejor para vivir. Hacemos que la lluvia riegue las plantas, que el viento esparza las semillas y cosas así.

Me senté en un nenúfar con mis cuatro mejores amigas. Estábamos un poco **apretadas** pero no nos importaba.

Las cinco somos del Club **arcoíris**. Es un Club para ayudar a la gente. **Todas llevamos la pulsera del Club** que tiene los **colores** del **arcoíris**. Cuando ayudamos a alguien, nuestras pulseras brillan.

Cualquiera puede entrar en el Club, menos **Filo**, que es el Gnomo más **bajito** y **más gruñón** y nunca ayuda a nadie.

Éstas son mis amigas:

Pluvia es la ninfa de la lluvia. Lleva un impermeable y botas de agua. No sé por qué es la ninfa de la lluvia **si no sabe nadar**.

También está **Nieves**. **Nieves** es la que hace que en invierno todo **se cubra de nieve**.

Lleva un abrigo **muy gordo**, **gorro y guantes**.

Eola es la ninfa del viento.
Siempre está despeinada.
A las **hadas** no les gusta mucho Eola porque cuando hace viento salen volando.

Trona, es la ninfa de los truenos.
Suele hablar muy ALTO.
Creo que es porque los truenos la han dejado un poquito sorda.

Trona nos estaba contando un chiste sobre unos rayos. Empezó a reírse muy alto antes de terminarlo. Siempre hace eso. Al oírla, Filo el gnomo más bajito y más gruñón **le tiró un trozo de seta para que se callara**. A Filo le molestan las risas. **Es un pesado.**

A mí me sentó muy mal. Así que decidí cambiarle el color de sus pantalones. Se los hice rojos con lunares amarillos y verdes.

Como soy la ninfa del arcoíris puedo hacer eso. Yo también **soy capaz de cambiar de color**.

Si estoy triste me pongo **azul**, si estoy asustada me pongo blanca, si me da vergüenza me pongo rosa, cuando me enfado me pongo roja y cuando estoy muy contenta, me pongo de todos los colores del arcoíris.

Cuando Filo vio sus pantalones se pegó un buen susto y casi se cae de su nenúfar. Todas nos reímos. Pero a Filo **no le hizo ninguna gracia**. Gritó:

— ¡¡Boletus apestosus!!

Se los puse otra vez como estaban para no meterme en un lío. Pero Filo seguía enfadado conmigo. Bueno, ya se le pasará.

Capítulo 3

Una misión para Iris

En ese momento la Reina de las Ninfas anunció:

—Ninfas, gnomos y **hadas**. Tengo noticias del mundo de los humanos. Una pequeña humana está muy triste. Necesita nuestra ayuda. **¿Quién quiere ayudarla?**

¡Una pequeña humana!

Yo siempre he querido conocer a una humana y ayudar. Pero a mí nunca me eligen. **Siempre eligen a las hadas.**

Las **hadas** volaron hasta la **Reina Ninfa** y levantaron la mano.

—**¡Yo, yo, yo!** —gritaban.

Mis amigas y yo también levantamos la mano. Pero estábamos muy lejos y la Reina no nos veía. Tenía que hacer algo.

Cerré los ojos y me concentré mucho. Hice que las **hadas**, los gnomos y las ninfas se volvieran de **color azul oscuro**. Yo me volví de color rosa fuerte. Esta vez la Reina sí me iba a ver. Levanté la mano muy alto y grité.

—¡Yo! ¡Porfa, Reina, yo!

La Reina Ninfa me miró. Me señaló con el dedo y me dijo que me acercara.

—**¡Trampa! ¡Trampa!** —repetían
las **hadas**.

—Iris, ven —dijo la Reina.

"¡Horror horroroso!", pensé.
Seguro que me había metido en un lío.

Me acerqué **muy despacio**. Me
puse de **color rosa** porque todos me
miraban. Pensaba
que la Reina
me iba a reñir,
pero dijo:

—Iris, ¿seguro que quieres ir al mundo de los humanos a ayudar?

—Segurisisisisímo —contesté.

—Muy bien, pues **irás**.

—Yupiiiiiiiiiii—contesté. Di saltos y me puse de todos los **colores** del arcoíris porque estaba muy contenta. Pero después pensé en la pequeña humana—. **¿Por qué está triste la pequeña humana?** —pregunté.

—Eso lo tendrás que averiguar tú —dijo la Reina—. **¿Estás lista?**

—Creo que sí —dije un poco nerviosa.

Yo nunca había estado en el mundo de los humanos. La verdad es que me daba un poquito de miedo.

Esto es lo que aprendí en el colegio de ninfas sobre los humanos: **Son muy grandes**. No tienen alas ni poderes mágicos. Viven en casas y duermen en camas. **Eso es un poco raro.** En mi reino, las **hadas** duermen en las ramas del árbol de las **hadas** y las ninfas dormimos en las flores. Los gnomos viven en los troncos de los árboles. Son los únicos que tienen casas con puertas.

Creo que es porque les molesta el ruido. Hay un árbol **MUY GRANDE** con el tronco lleno de puertas. Es como los edificios de los humanos, pero en árbol.

Los humanos tienen máquinas para ir de un lado a otro y máquinas que lavan las cosas y máquinas para hablar entre ellos.

También tienen unas máquinas como cajas y se pasan horas mirándolas porque salen humanos pequeñitos, pero no los puedes tocar, ni te puedes meter dentro. **Ya te he dicho que son muy raros.**

Además los humanos viven como mucho **cien años o así**. Eso es muy poco.

Yo tengo 120 años y todavía soy una ninfa pequeña.

—**Muy bien** —me dijo la Reina—. Tienes que ir cuanto antes. Cierra los ojos y cuenta **hasta diez.** Cuando termines de contar los puedes abrir. Ten cuidado y pórtate bien.

—Pero, Pero, PERO —dije—. ¿Cómo voy a volver? ¿Y qué pasa si necesito ayuda? **¿Cómo voy a reconocer a la pequeña humana?**

—**La reconocerás** —dijo la Reina—. Si necesitas hablar conmigo, **busca una flor** y llámame.

—Ah, vale —dije. Miré a mis amigas y ellas sonrieron. **Me habría gustado que vinieran conmigo.** Como cuando fuimos en mariposa a buscar el tesoro **al final del arcoíris.** No lo encontramos, **pero fue divertido.** Me despedí de ellas con la mano.

—**¿Lista?** —preguntó la Reina.

—Lista.

Capítulo 4

El Mundo de los humanos

Cerré los ojos y oí la voz de la Reina que decía: "Ninfas del mundo, gnomos y **hadas**, ofrecen su ayuda a cambio de nada". **Empecé a contar.**

1 Me pareció que...

2 **flotaba**...

3 en el aire.

4 Me pareció...
que empezaba...

5

6 **a dar vueltas**.

7 Me pareció que...

8 que estaba **bajando**...

9 **muy deprisa**.

10 ...

¡Pataplán!

Aterricé en algo duro. No me atrevía a abrir los ojos. Pero de pronto oí un ruido:

Buuuaaaaaaaaaaaaaaaa

Abrí los ojos muy despacio… **¡y no me podía creer lo que veía!**

Estaba en la habitación de la pequeña humana. Había animales de peluche por todas partes. Sabía que eran de mentira porque no se movían. Donde yo vivo, los animales siempre se mueven y hacen ruidos. También vi una mesa y una silla y un armario abierto lleno de ropa. Pero no había flores. Ni una sola flor. **¿Cómo iba a llamar a la Reina para decirle que había llegado?**

De pronto miré a la esquina de la habitación. Había una cama. Encima de la cama estaba la pequeña humana.

Capítulo 5

Una Humana gigante

Pero la pequeña humana no era pequeña; **era grande**... **¡MUY MUY GRANDE!** Tenía los pies grandes, las piernas grandes, la cabeza grande. **TODO** era grande.

Estaba sentada en la cama y se tapaba la cara con las manos.

—**¡Buaaaauaaaaaaaa!**

¡Estaba llorando! Pobrecita. Trepé por la cama para hablar con ella. ¡Estaba muy alto! Me acerqué lentamente. De pronto, una lágrima me cayó en la cabeza. ¡Y me empapó!

—¡Mira cómo me has puesto! —dije con el pelo chorreando.

La pequeña humana se apartó las manos de la cara. Me miró. ¡Y gritó!

A mí me asustó y también grité.

¡AaaaᵃᵃaahAhhhhhhh!

Gritamos un rato más, hasta que nos cansamos. Entonces me volvió a mirar.

—¿**Quién eres?** —preguntó.

Yo me puse de pie sobre sus rodillas, me estiré y dije.

—**Soy Iris**, la ninfa del **arcoíris**.

La pequeña humana me miró con una cara muy rara.

—¿**Eres qué?** —preguntó.

—La ninfa del **arcoíris** —repetí más alto por si no oía bien como mi amiga Trona.

La pequeña humana me observaba con los ojos muy abiertos. **Por lo visto nunca había visto una ninfa.** En su colegio no le han debido contar nada. No debe de ir a un colegio muy bueno. Me preguntó qué era eso. Le tuve que explicar todo. Le hablé de las **hadas**, de mis amigas las ninfas, de los gnomos y hasta de Filo, **el gnomo más bajito y gruñón**.

—¿Y tú cómo te llamas? —pregunté después.

—**Marina** —contestó.

—¿Y por qué estás triste? —pregunté.

Los ojos de Marina se volvieron a poner tristes. Estaba a punto de llorar. Yo esperé que **no me mojara con otra lágrima porque ya casi** tenía la ropa seca.

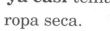

—**Es que mi gata Piluca ha desaparecido** —dijo muy bajito.

☆ **¡Su gata!** Sabía lo que era un gato porque me lo enseñaron en el colegio. Pero nunca había visto ninguno en persona. Bueno, persona no porque es un animal. El caso es que en mi mundo no hay gatos. Hay **pájaros**, **camaleones**, **ranas y mariposas de colores**. A veces nos subimos encima y nos pasean. Los camaleones van muy **despacio** y las ranas dan muchos **botes** y es difícil no caerse.

Esto es lo que sé sobre los gatos:

Tienen las uñas afiladas.
Hacen ruido como miau o
RrrRrrrrrrRrrr
cuando están contentos.
Pueden ser blancos, naranjas o
negros atigrados. Pero no hay gatos
azules ni **verdes** ni **rojos**. No sé por
qué no tienen **colores** más divertidos.
A lo mejor por eso me envió aquí la
Reina, para que les dé colores.

¡Claro! ¡Eso era!

¡Eso es lo que tenía que hacer
para ayudar! **¡Cambiar
de color a los gatos!**
Los iba a hacer a rayas
azules y **amarillas** y rosas
con lunares **verdes**. La Reina
iba a estar orgullosa de mí.
**¡Tenía que encontrar una flor
para contárselo!**

Capítulo 6

Un misterio misterioso

—¡Yo te ayudaré a encontrar a tu gata Piluca! —dije. Estaba tan contenta que empecé a cambiar de **colores**. Primero rojo, después naranja, amarillo, verde, azul, añil y violeta. Ésos son los colores del **arcoíris**.

Marina me miró con cara rara.

—**¿Cómo haces eso?**

—**Ya te dije que soy la ninfa del arcoíris** —le expliqué—. Luego te enseño cómo cambio más cosas de color. Ahora vamos a buscar a Piluca.

Marina sonrió y por fin parecía estar

contenta. Pero de pronto oímos una voz:

—¡Marina, ven a merendar!

—¡Horror horroroso! —grité asustada con la cara muy blanca. No sabía que había más humanos en su casa. **Me escondí porque me daba un poco de miedo.** Además eso de merendar sonaba muy raro.

—No tengas miedo —dijo Marina—. **¡Es mi mamá!**

—Pero, Pero, PERO **¿y si me quiere coger?** —contesté. Marina me miró. Se notaba que estaba pensando.

—**Tienes razón** —dijo—. A lo mejor piensa que eres una libélula y te aplasta con la zapatilla. A veces hace eso.

—¡Horror horroroso! —dije temblando—. **¿Y ahora qué hacemos?**

—**Tengo una idea** —dijo Marina—.
Te esconderé en mi mochila. **Será
nuestro gran secreto.** Yo te protegeré
y no le diré a nadie que estás aquí.

Marina me cogió con su mano
grande y me metió en su mochila.
**¡Estaba llena
de cosas!**

Marina bajó la escalera. Yo iba dando botes en la mochila. Llegamos a la cocina y vi a su mamá. ¡Era MUCHO MÁS GRANDE que Marina!

¡Era gigantesca!

Estaba cocinando y sonreía.

Me asomé a ver si encontraba una flor. ¡Sí! Había unas rosas rojas en un jarrón encima de la mesa. Tenía que llegar allí sin que me vieran.

Marina puso la mochila en la mesa, se sentó y empezó a merendar. Resulta que merendar es tomar leche con galletas.

La mamá de Marina salió de la cocina. Marina me preguntó:

—¿Tienes hambre?

—Un poquito —contesté. La verdad es que tenía mucha hambre. **Pero yo nunca había probado esas cosas.** En mi mundo bebo néctar de las flores y como semillas muy ricas.

Marina puso un poco de leche con cacao en el tapón de una botella y me dio unas migas de galleta.

¡Estaban buenísimas!
Nos comimos hasta la última miga.

—Voy a mi cuarto a coger mi equipo de rescate y ahora vuelvo —dijo Marina después de merendar.

—*Dfeacuerdfdo* —dije con la boca llena.

En cuanto Marina salió de la cocina, salí de la mochila y me acerqué corriendo al jarrón de las rosas. **Trepé como pude y llamé a la Reina.**

—**Reina, Reina, ¿me oyes?
Soy Iris. Ya estoy aquí** —dije.

No hubo respuesta. Insistí una y otra
vez. Nada. Entonces me di cuenta de lo
que pasaba:

¡las flores estaban cortadas!

¡No salían de la tierra como las flores
normales! ¡Así no me podían oír! Estos
humanos son muy raros. **¿Por qué
cortan las flores?** Necesitaba una
flor de verdad para llamar. Miré por la
ventana de la cocina y vi que daba a
un jardín. En una esquina había unas
violetas. Eran muy pequeñas y a lo
mejor no me oían bien, pero tenía que
intentarlo.

Marina volvió con unas gafas **muy grandes** y unos prismáticos. En una mano tenía un **megáfono** y en la otra, una foto. No sé para qué llevaba esas cosas tan raras.

—Ésta es Piluca —dijo enseñándome la foto.

Era una gata blanca con los ojos azules. Era muy bonita pero estaba muy gorda. A lo mejor por eso se había ido. **Porque quería ponerse a dieta.** Seguro que **merendaba muchas galletas** y eso no es bueno para los gatos.

—**¿Por dónde empezamos a buscarla?** —preguntó Marina.

—**¡Por el jardín!** —contesté. Era una buena idea. Así podía hablar por las violetas.

40

Capítulo 7

Filo el gruñón

Marina me metió en la mochila y abrió la puerta que daba al jardín. Era un jardín pequeño rodeado por una valla blanca. No sé por qué la tenían. Si era para que no saliera Piluca, no funcionaba muy bien.

—Marina, ¿por qué no nos separamos? **Tú buscas por ahí y yo por allá —dije.**

A Marina le pareció buena idea. Me sacó de la mochila y me puso en la hierba. Después empezó a gritar por el megáfono.

—¡Piluca! ¡Piluca! ¿Dónde estás?

Mientras Marina buscaba, yo corrí
a las violetas. Cogí una por el tallo
y llamé.

—Reina, ¿estás ahí? ¡Soy Iris!

Al cabo de un rato contestó una voz.
Pero no era la Reina. Era la voz de
un gnomo. **¡El gruñón de
Filo!**

—Pues no, no está
—dijo **Filo**—. La Reina está
ocupada.

**—¡Pero tengo
que hablar con
ella!** —contesté.

—**¡Amanita cabezotus!** Ya te he dicho que está ocupada —dijo el gruñón de **Filo**—. Llama más tarde.

—**Filo**, por favor, ¿le puedes dar un mensaje de mi parte? —pregunté.

—Yo también estoy ocupado —contestó—. Me tengo que ir. Adiós, **¡agaricus pesadus!**

¡Y se fue! Le llamé una y otra vez pero no volvió a contestar. **¡Filo** nunca quiere ayudar a nadie! ¡Él sí que es un **agaricus pesadus**... o lo que sea eso! Tenía que esperar. **Mientras tanto podía buscar a Piluca.**

Marina seguía llamando a su gata.

Yo miré por todo el jardín. De pronto, me pareció oír algo, una especie de miau.

—¡Marina! —llamé—. ¿Oyes eso?

Marina vino corriendo. Pero ella no oía nada. Creo que los humanos de verdad están un poco sordos como Trona.

Volví a oír el ruido: **miau miau**.

¡Estaba clarísimo!
¡Era el maullido de un gato!

—Parece que viene de debajo de la casa —dije.

—¿Debajo de la casa? —preguntó Marina.

—¡Sí, vamos!

Capítulo 8

Iris al rescate

En la pared había un pequeño agujero. Estaba muy oscuro. Ahora el ruido se oía mucho mejor: **miau miau**.

—¡Aquí hay gato encerrado! ¡Voy a investigar! —dije.

—Toma, lleva unas galletas para gatos —dijo Marina. Me dio una bolsa con galletas. La bolsa era casi tan grande como yo.

Le iba a decir que Piluca no necesitaba más galletas porque estaba muy gorda, pero me callé.

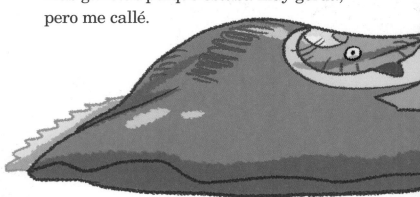

Me metí por el agujero arrastrando la bolsa de galletas. Estaba todo muy negro. Avancé con mucho cuidado. Podía oír el miau miau muy cerca. **Pero ¿cómo iba a ver a Piluca si estaba todo tan oscuro?** ¡De pronto se me ocurrió una idea! Si cambiaba el color negro por el rosa, se vería todo mucho mejor.

Cerré los ojos, me concentré y pensé en el rosa.

Cuando los abrí, había desaparecido el negro y todo estaba rosa. Por fin podía ver. Un poco más adelante había algo. ¡Sí! ¡Era Piluca! Su pelo blanco resaltaba sobre el fondo rosa. ¡Pero no estaba sola!

Me acerqué un poquito más. ¡No me lo podía creer! ¡Había cuatro gatitos! Tres eran blancos y uno marrón. **¡Piluca se había escondido para tener a sus gatitos!** ¡Por eso estaba tan gorda!

Creo que Piluca me tenía un poco de miedo y quería proteger a sus gatitos. Me enseñó los dientes y dijo:

—Ffffff uuuuuuuUuu.

Yo me asusté y me puse blanca. Pensé que me iba a atacar.

—Tranquila, no te voy a hacer nada —dije.

Abrí la bolsa y saqué una galleta. Acerqué la mano. Piluca la olió ¡y se la comió! Después le di tres más. **¡Estaba muerta de hambre!**

—Si quieres más tienes que salir —le dije.

Me di media vuelta y me alejé dejando un rastro de galletas por el suelo.

Cuando salí, Marina me esperaba impaciente.

—¿La has visto? —me preguntó.

—¡Sí! ¡Está ahí! ¡Y tiene cuatro gatitos! —dije.

Marina empezó a dar saltos de alegría. **¡Había encontrado a su gata!**

—¡Mamá! ¡Mamá! ¡Piluca está aquí! ¡Tiene gatitos! —gritó.

La mamá de Piluca se asomó por la puerta de la cocina. Yo me metí rápidamente en la mochila de Marina para que no me viera.

—¿Está aquí? ¿Dónde? —preguntó su mamá.

—Ahí abajo —dijo Marina señalando el agujero.

—Voy a prepararle una camita para que traiga a sus gatitos —dijo su mamá.

Nos metimos en la casa. La mamá de Marina preparó una caja y metió unas toallas dentro. También puso unos cuencos con agua y comida para gatos.

Las tres nos escondimos detrás de la otra puerta de la cocina **y esperamos un buen rato**.

De pronto, apareció Piluca. En la boca llevaba uno de sus gatitos. Entró en la cocina y lo metió en la caja. Después bebió agua y comió un poco. Cuando terminó, volvió al jardín. Al cabo de unos minutos regresó con el segundo gatito, después el tercero y el cuarto.

Piluca se metió dentro de la caja y se tumbó. Los gatitos se acercaron a ella a beber más leche. **¡Eran muy tragones!**

—¿Por qué no vamos a la tienda de animales y le compramos una camita más grande? —preguntó la mamá.

Marina pensó que era una buena idea.

—Voy a coger mi bolso —dijo su mamá.

Cuando se alejó, le dije a Marina:

—**Creo que es mejor que yo me quede a cuidarlos** —declaré.

En realidad quería terminar mi misión de los **colores**, pero no se lo conté. **Era una sorpresa.**

—Buena idea —respondió Marina. Me dejó en el suelo. Yo me escondí dentro de
una zapatilla. **Olía un poco mal.** Me tapé la nariz.

Marina y su mamá salieron y por fin me quedé sola.

Salí de la zapatilla. Me acerqué a Piluca y a sus gatitos.

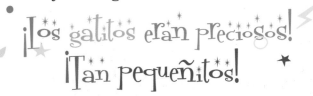

¡Los gatitos eran preciosos!
¡Tan pequeñitos!

Iban a quedar muy bien de **colores**.

Capítulo 10

Horror Horroroso

Cerré los ojos y **me concentré.** Pensé en el color **azul** con rayas amarillas y en el **morado** y en el **rojo** con lunares **verdes** y en el **rosa.** ¡Cuando los abrí, los gatitos tenían todos los **colores** que había pensado! **¡Estaban mucho más bonitos que antes!**

¡Había terminado mi misión!

Miré mi pulsera del **arcoíris** muy orgullosa, pero no brillaba. Qué raro. Debería brillar porque ya había ayudado a que los gatitos tuvieran **colores**. ¿Estaría estropeada? Moví la muñeca, pero no funcionaba.

De pronto **pasó algo muy malo.**

Piluca miró a sus gatitos y salió de la caja de un salto. Parecía muy asustada. Los gatitos maullaban e intentaban seguir a su mamá. Pero Piluca se alejó más.

¡Horror horroroso!

¡No le gustaba como habían quedado!

Los pobres gatitos maullaban y maullaban y Piluca los miraba con el lomo arqueado y los pelos de punta. Hasta les bufó como me había hecho a mí antes.

¡Eso estaba muy mal! Era su mamá.

Pero la culpa era mía. Yo les había **cambiado de color** y ahora ella no los quería.

Mi misión había sido un fracaso total.
¡Tenía que hacer algo!

Volví a cerrar los ojos. Intenté acordarme de cómo eran. Tres blancos y uno marrón. Pensé en el color blanco durante un buen rato. Después pensé en el color marrón.

Abrí los ojos **l e n t a m e n t e**.

Capítulo 9

¡Salvada por los pelos!

¡Sí! ¡Estaban igual que antes!

Piluca volvió a mirar a sus gatitos. Se acercó a olerlos. ¡Y se tumbó a su lado!

 **¡Uf! ¡Menos mal!**

Está claro que los gatos no tienen buen gusto con los **colores**.

Todo había vuelto a la normalidad. Pero la pulsera seguía sin brillar. Si ésa no era mi misión, **¿cuál era?** Me rasqué la cabeza para pensar. No sé por qué se piensa mejor cuando te rascas la cabeza. **A lo mejor al hacerlo mueves las ideas.**

En ese momento llegaron Marina y su mamá. Me fui corriendo a la zapatilla y las observé entre los cordones.

La mamá de Marina puso una camita cerca de la caja donde estaba Piluca.

—¿La puedo acariciar? —preguntó Marina.

—Sí, pero no toques a los gatitos que todavía son muy pequeños —dijo su mamá—. Yo voy a llamar al veterinario para ver si tenemos que hacer algo más, ¿vale?

—**De acuerdo** —dijo Marina.

Marina se sentó al lado de Piluca y la acarició. **Piluca ronroneó.** Creo que estaba muy contenta de estar otra vez con su humana. Piluca se quedó dormida. Dar de comer a cuatro gatitos comilones debe de ser muy cansado. **Sus cuatro gatitos también dormían a su lado.**

Salí de mi escondite y me acerqué a Marina. Ella me miró y susurró:

—¡Iris, muchas gracias por ayudarme a recuperar a Piluca! ¡No sé qué habría hecho sin ti!

Mi pulsera empezó a brillar.

Sonreí. Misión cumplida. Me parece que los humanos realmente necesitan mi ayuda. Creo que me quedaré más tiempo aquí.

El Cuaderno de Iris

❋ Gatos:

Una gata está preñada (que es la palabra para decir «embarazada» en los animales) durante unas 9 semanas.

Una gata puede tener hasta ocho gatitos, pero lo normal es que tenga entre 2 y 5.

❧ Los gatos no pueden comer chocolate porque se ponen enfermos.

Los gatos oyen mejor que los perros.

 Los gatos duermen mucho, casi dos tercios del día.

Los gatos no pueden ver todos los colores. Hay científicos que piensan que los gatos ven la hierba de color rojo.

Los gatos tienen 230 huesos en el cuerpo. Los humanos tienen 208 huesos.